행복을

채워 가는

우리들

행복을 채워가는 우리들

발　행 | 2023년 12월 14일
저　자 | 강수현, 김리연, 김윤채, 박다휜, 박시우, 정은빈
펴낸이 | 한건희
펴낸곳 | 주식회사 부크크
출판사등록 | 2014.07.15.(제2014-16호)
주　소 | 서울특별시 금천구 가산디지털1로 119 SK트윈타워 A동 305호
전　화 | 1670-8316
이메일 | info@bookk.co.kr

ISBN | 979-11-410-5995-8

www.bookk.co.kr

2023 남양주샛별초 4학년 책 출판 프로젝트

글/그림:강수현,김리연,김윤채,박다흰,박시우,정은빈

강수현 김리연 김윤채 박다흰 박시우 정은빈 지음

CONTENT

2023년 샛별초 4학년 1반 친구들에게

　유난히 밝은 아이들이 모여있는 4학년 1반 친구들이 **'나를 사랑하고 너를 이해하며 함께 성장하는 어린이'**가 되길 바라는 마음으로 한 해를 보냈습니다. 올 한해 함께 했던 다양한 체험활동을 마치고 쓴 글들을 그냥 버리기엔 너무 아깝다는 생각이 들어 우리 친구들의 이야기를 이 책에 모아 보았습니다. 이 책을 통해 자신의 4학년 시절을 추억하며 새롭게 시작할 힘을 갖길 바랍니다. 살아보니 어릴 적 추억을 간직하고 있는 사람들은 나름의 순수함을 갖고 긍정의 힘을 발휘하고 있더라구요.

　사랑하는 1반 친구들,

　우리 1반 친구들도 시간이 흐르면 초등학교, 중학교, 고등학교를 졸업하겠지요? 어떤 모습으로 성장하게 될지는 아무도 알 수 없지만 이 책을 보며 4학년 시절을 추억할 수 있다면 너무 좋겠어요.

　돈을 많이 벌어도 좋고, 공부를 많이 해도 좋고, 우리나라를 대표하는 선수들이 되어도 좋겠어요. 하지만, 공부를 좀 못해도, 돈을 좀 덜 벌어도, 그렇게 이름있는 자리에 나아가지 않아도 괜찮습니다. 중요한 건 몸과 마음이 건강한 어른으로 성장하는 것입니다.

　자신을 사랑하고 이웃을 살필 줄 알며 자신에게 주어진 일들을 성실하게 해낼 수 있는 사람이면 충분하겠지요?

　몸과 마음이 건강한 사람!

그런 멋진 어른이 되어 나중에 다시 만나도 행복할 것 같습니다.

　한 해 동안 함께 생활할 수 있어서 감사했습니다. 사랑합니다~

　　　　　　　　　　　　　　　2023년 12월에 정은미 선생님이

제1화 강수현 작가의 이야기

1. 바른 청소교실

1교시, 2교시 친구들과 '바른 청소 교실' 수업을 했다.
선생님이 준비하신 영상 ox 퀴즈도 너무 재미있었다.

선생님이 준비하신 영상은 방을 깨끗이 하자는 영상이었는데 방이 더러워져서 친구들이 그전에 모두 떠나버리는 내용이 재밌었다. 나도 내 집에 있는 친구들이 떠나지 않게 방청소를 열심히 해야겠다는 생각도 들었다.

 수업을 듣고 친구들과 함께 책상과 사물함으로 돌아가며 같이 정리하였다.

 '오늘 특별한 날이 없을 것이다' 생각했는데 생각하지도 않은 재밌는 체험을 하게 되어서 너무나 즐거웠다.

2. 누리호

 2023년 기준 5월 26일 금요일 6시쯤 우리 대한민국이 누리호를 발사했다.
 발사하는데 오류가 생겨 불안했지만 성공해서 안도했다.
발사하고 시간마다 우주에서 1호…7호 1개씩 분리를 하는데 우리나라의 과학기술이 대단한 것 같다.
또 기술이 신기롭다고 생각했다.
나도 누리호처럼 발전해가며 살아갈 것이다.
역시 우리나라는 짱이다 !

3. 엄마의 생신

 감정 수업에 대해 배우는 시간이 있었다.

그때 엄마의 생신을 맞이해 어머니에게 편지를 썼다.

친구들은 쓸 사람이 없는 지

 "선생님, 미래의 나에게 써도 돼요?"

라고 수십 번을 물어 보았다.

 어떤 친구들은 "담임선생님한테 써도 돼요? "

라고 질문하는 친구들도 있었다.

 나는 곧 엄마의 생신이니까 엄마한테 썼다.

 엄마한테 편지를 써보는 활동이 재미있었다.

엄마 생신 당일에 편지와 선물까지 드렸다.

내가 거의 자고 있을 때 어머니께서 편지를 읽으셨는데 감동

받았다고 했다. 나도 기분이 좋았다.

4. 나무를 명하다 체험 소감

'나무를 명하다' 체험은 이렇게 진행되었다.

먼저 우리 학교에 있는 나무의 이름이나 종류 등 나무에 대한 설명을 해 주신 후 나무 간판 만들기를 했다. 나무 간판 만들기를 하는데 시간이 없어서 최대한 빠르게 그려서 완성했다. 그렇지만 학교 화단에 나가 내가 뽑은 나무를 찾아보았지만 잘 보이지 않아서 겨우 찾았다.

비가 오는 바람에 걸지 못했다.

그래도, 학교에 내 나무가 생긴 것 같아 너무 재미있었다.

5. 음악공연을 본 소감

 강당에서 학교로 찾아오는 음악공연을 보았다.
공연을 보았을 때 여러 종류의 악기들을 볼 수 있었다. 악기 종류가 많지는 않았지만 그것만으로도 아름다운 소리를 낼 수 있다는데 신기하고 재미있었다. 연주곡들이 소리 내는 악기에 따라 박자, 소리가 다 달라지는 게 신기했다. 공연을 위해 연주해 주시는 분들이 참 대단한 것 같다. 눈을 감고 들으면 10가지 이상의 악기 소리가 나는 것 같다.
 사람이 많아서 악기가 잘 보이진 않았지만 정말로 재미있게 들을 수 있었고 아름다운 소리로 들으니 더 재미있었던 것 같았다.

6. 2학기 임원선거

 목요일 2교시에 2학기 임원선거를 시작했다.

 반장선거를 할 때 나갈 사람이 생각보다 많아서 깜짝 놀랐다. 1번 부터 시작해서 8번 공약을 듣고 한 모둠씩 선생님 컴퓨터로 가서 키보드로 투표를 했다. 투표 결과를 확인했는데 생각도 하지 못할 결과가 나왔다. 회장은 8명 이상이 출마를 해서 재투표까지 했다. 우리는 좀 힘들었지만 2학기 임원선거는 참 재미있었다.

시간이 빨리 지나갔지만 즐거운 2학기 임원선거였다.

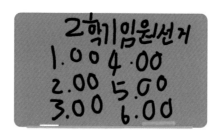

7. 이어질 내용 생각하기

-무관심씨의 뒷 이야기-

무관심씨는 손의 중요성을 알게 되고 손이 중요하다는 것을 알려주고 싶어서 사람들에게 서로 배려하며 살자고 했다.

무관심씨는 엘레베이터도 잡아주고 아이의 풍선도 잡아주었다. 위험한 사람도 도와주고 손도 꺼내 친구와 놀러도 가고 차도 마시며 시간을 보냈다.

그러다가 길을 건너는 횡단보도 앞에서 손의 소중함을 잃어버린 사람을 발견했다. 그냥 지나치지 않고 그 사람에게도 자신이 그랬던 것처럼 손의 소중함을 알려주고 일을 해서 행복하게 살게 되었다.

나중에 무관심씨는 돈을 많이 벌어서 갖고 싶은 것도 사면서 행복하게 살게 되었다.

8. 지진·화재 대피 훈련을 마치고

오늘은 학교에서 지진 · 화재 대피훈련을 했다.
학교에서 사이렌이 울리자 우리는 설명 들은 대로 바로 책상
아래로 숨었다. 몇 분 후 책도 들고 지진훈련을 하며 운동장
으로 대피했다. 우리는 배운 대로 똑같이 따라 했다.
우리는 운동장으로 나가서 소방관 아저씨도 만나서 소화기
사용하는 방법을 익히는 수업도 했다. 운동장에서 머리를 보
호하기 위해 가지고 나간 교과서를 깔고 앉아 수업을 듣는
게 생각보다 정말 재미있었다.

친구들과 좋은 추억을 남긴 것 같다.

9. 미니올림픽

 우리 반에서는 1학기 친구사랑의 날에 교실에서 미니올림픽을 했다. 내가 참여하지 못한 게임도 있었지만 내가 참가한 게임에서 1등을 했다. 신기한 게임도 있고, 그냥 재미있었던 게임도 있었다.

여자 팔씨름을 할 때 1등 하지 못해서 아쉬웠지만 2등도 괜찮았다. 농구, 탁구치기 등 여러 게임이 있었지만 점수를 많이 받지는 못했다. 선생님은 열심히 준비하셨는데 너무 빨리 끝난 것 같다.

너무나 재미있었다.

재미있던 만큼 시간이 빨리 갔지만 친구들끼리 협동심을 키울 수 있는 시간이었다.

10. 제주도

 나는 우리 가족이랑 제주도를 가서 펜션에 도착했다.
4박 5일동안 있어야 하니 적음식을 노력도 했다.
 우리는 다음날 바다를 갔다. 그리고 그다음 날 아침에 언니
에게 전화가 오고 언니와 스누피 가든에 가고 만난 김에 수
영장도 같이 가기로 했다. 스누피 가든에는 스누피와 친구들
이 가득한 장식도 있었다. 우리가 수영장으로 갔을 때 사람이
참 많았다.
보드게임도 했는데 재미있었다. 돌봐야 하는 아기가 있어서
계속 눈이 돌아가긴 했지만
어쨌든 재미있었다.

11. 아빠의 회사

 오늘은 우리 가족끼리 아빠 회사를 갔다.

주변의 길고양이를 보기도 했다.

미용실에서는 강아지를 키우는데, 강아지는 정말 귀여웠다.

그리고 아빠 회사에는 아빠가 키우는 물고기도 있어서 신기

해하며 관찰을 했다.

아빠 회사 주변에는 40년 된 떡볶이집이 있었다. 떡볶이를

싫다고 하시는 엄마도

"먹었던 떡볶이 중에 제일 맛있다. "고 하셨다.

진짜 맛있었다.

그리고 아빠와 같이 오토바이도 타고 정말 재미있었다.

12. 사촌 동생의 집

 오늘은 사촌 동생 집에서 놀았다.

핸드폰 게임도 하고 같이 만들기도 했다. 그리고 아침에는 라면을 먹었다. 동생과 좀비 게임도 하고 보물찾기도 했다. 그리고 하룻밤 자기로 해서 영화를 봤는데 영화 보면서 잠이 들고 말았다.

 다음날 아침이 되어서도 또 게임을 했다. 좀비 게임을 또 하면서 아침을 든든히 먹고 우리는 집에 갔다.

13. 생존수영

 작년에 이어 올해도 생존수영을 했다.
생존수영을 할 때 너무 힘들었지만 두 번째도 만만치 않았다.
발차기할 때도 너무 힘들었고 수영하기도 너무나 힘들었다. 4
학년이 되어 4일이나 계속하는 거여서 앞길이 막막해지는 생
각이 들었다. '4일이나 어떻게 하지' 생각했었는데, 매일 반복
하다 보니 수영복 입고 수영모과 수경쓰는 게 세 번째 수업
할 때부터는 좀 더 익숙해진 것 같았다.
 수영을 끝나고 나올 때마다 바로 라면이 먹고 싶어졌다.
엄청 긴 시간이었던 것 같았지만 오랜만에 수영을 해서 정말
재미있었다.

14. 추석 이야기

우리는 2박 3일 캠핑을 갔다.

우리는 지식으로 생선을 먹고 보드게임도 하며 시간을 보냈다. 동생이랑 다이어리 꾸미기도 하고 영화도 보았다.

둘째날 밤에 삼겹살이랑 대패삼겹살을 먹었다. 캠핑와서 먹으니 정말 맛이 있었다.

그리고 마지막 밤이 지나고 우리는 '강원세계산엑스포' 에 갔다. 솔방울 전망대도 갔는데, 제일 높은 곳이 10층 높이라고 했다. 우리는 4층 높이에 미끄럼틀이 있다고 해서 그곳에서 열심히 미끄럼을 타고 닭 고치도 먹고 과자도 먹었다.

돌아오는 길에 휴게소에서 저녁을 먹고 우리는 헤어졌다.

15. 서로 다른 세계문화

우리는 손가락으로 '엄지척'하는 동작이 좋은 뜻으로 이해되지만 나쁜 뜻으로 이해하는 나라도 있다는 것을 알게 되었다. 예를 들면 손가락으로 동그라미를 그리며 '오케이'라고 표현하는 게 어떤 나라에서는 욕으로 이해된다고도 한다.

식사에 대한 문화도 다른 것 같다.

스페인은 밥을 5끼 먹는다고 한다. 그리고 독일에서는 밥 먹을 때 팔꿈치를 식탁에 올리면 예의가 없는 행동이라고 한다. 그렇지만 스페인에서는 밥을 먹고 낮잠을 잔다고 하는데 그게 참 부럽다라는 생각을 했다.

제2화 김리연 작가의 이야기

1. 바른 청소 교실 참여소감

바른 청소 교실 수업에 참여하고 많은 것을 알 수 있었다. 그래서 나는 ⬇것 들을 알 수 있었다.

1번째, 재활용을 하면 지구가 얼마나 깨끗하게 변하는지 알게 되었다.
2번째, 음식물 쓰레기가 아닌 것들을 알고 신기했다.
3번째, 나도 우리 주변에서 바른 청소를 하는 것이 아니라는 것을 깨닫고, 굳은 다짐을 하게 되었다.

이 수업에 참여하니 몸도 마음도 깨끗해지는 것 같았다.
그리고, 이 수업을 많은 분 들이 참여하고 나처럼 글을 썼으면 좋겠다.
이제부터 바른 청소를 잘 실천하는 습관을 가지고 싶다.
이제부터라도 바른 청소를 하고 싶다.

2. 괜찮아?

넘어졌을 때,

핸드폰이 깨졌을 때,

누군가 괜찮아?

라고 물어보면

조금이나마

위로가 될 것 같다.

3. 우산과의 쟁탈전

.

주르륵, 주르륵
비가 옵니다.
우산 속,
생각하면 엄마 생각나요.
비오는 날
우산 하나 밖에 없을 때
엄마 품속 들어갔죠.

후드득, 후드득,
빗방울들이
우산 속으로
들어오고 싶은가 봐요.

우산과의 쟁탈전.

4. 아름다운 꿈

 어느 날 선생님께서 말씀하셨다.
 "아름다운 꿈이란 뭘까? "
친구들은 난처했다.
자신의 꿈도 아니고 아름다운 꿈은 무엇인지 몰랐기 때문이
다.
그때, 선생님께서 말씀하셨다.
 "정답은……………"
 "이 세상 모든 꿈이에요! "

그제서야 나는 깨달았다.
하찮은 꿈과 소중하지 않은 직업은 없다는 것을 !

5. 무지개 바다

바다에 갔다.

푸르른 바다와, 부드러운 모래들이 나를 반겼다.

바다 앞쪽에 마중 나온 조개 껍질들이 길을 안내했다.

그 때였다.

바다가 무지갯빛으로 변했던 것은!

난 그때의 그 무지개 바다를 잊을 수 없었다.

무지개도 예쁘고, 바다도 아름답기 때문에,

무지개 바다가 아름다운 무지갯빛으로 변했던 것이다.

그렇기 때문에 난 너와 합쳐져야겠다.

6. 빗

엉킨 머리를 풀어주는 건
쉽지만,
엉킨 고민을 들어주고
해결 방법을 찾아주는 것은,
어렵다.
차라리
그 반대였으면 좋겠다!

7. 맛있다! 켄짱카레!

오늘은 부산 남포동에 있는 켄짱카레에 방문했다.
난 카레를 그닥 좋아하지 않기 때문에 별로 기대하지 않았다.
그런데, 맛있었다!
매콤 달달한 카레의 맛이란!
말로다 할 수 없을 만큼!
맛있었다.

켄짱카레, 응원합니다!

8. 넓은 우주

가끔 이렇게 생각을 한다.

우주 안엔 뭐가 있을까?

행성들, 은하계, 별⋯⋯⋯.

이렇게 넓은 우주가 있는데⋯.

난 너무 작아!

난 쓸모없지 않을까?

그리고 이럴 때면 난 이런 생각도 한다.

아무리 내가 작아도,

내가 아무리 소리쳐도

우주는 변하지 않아!

그렇기 때문에 나는 그냥 천천히 기다리기로 했다.

우주가 나를 받아줄 때 까지⋯⋯.

9. 문화 예술공연

오늘은 학교에서 문화예술 공연을 보았다.
뭔가 느낌이 웅장하고, 소리가 매우 감미로웠다.
바이올린, 첼로, 피아노, 콘트라베이스! 등등
여러 악기들을 가지고 나오셨다.
어떤 곡은 톡톡 튀고, 어떤 곡은 웅장했다.
그중 어떤 곡은 내 마음도 사로잡았다.

좋은 경험인 것 같다~♡

10. 쓸까, 말까? 플라스틱!

'쓸까, 말까? 플라스틱'이라는 책을 읽었다.

시작은 1992년 1월 10일 밤,

태평양 서쪽에서 거센 모래 폭풍이 몰아쳤다. 그래서 배에 가득 싣고 있던 목욕 장난감이…………

풍덩! 순식간에 바다는 거대한 목욕탕처럼 변했다.

이 사건 이후 세계 곳곳에서 많은 목욕 장난감이 발견되었다. 그런데, 목욕 장난감들은 이 기나긴 바다 여행을 하고도 거의 닳지 않았다. 그 이유는 목욕 장난감들이 모두 플라스틱이기 때문이다.

목욕 장난감 말고도 우리 주변에는 플라스틱이 많다.

예를 들어 컵 그릇 접시 따위나, 통, 캔 종류,....등등이다.

우리 주변에 거의 70~80%가 플라스틱으로 이루어졌다.

플라스틱제품이 많은 이유는 플라스틱은 어떤 모양이든 쉽게 만들 수 있기 때문이다. 플라스틱 덕분에 우리의 생활은 편리하지만, 환경이 오염된다는 것을 잘 알기 때문에, 플라스틱을 아껴 쓰는 생활을 실천해야겠다.

11. 엘리멘탈

불과 물이 만나면 어떻게 될까?

대부분 사람들은 이렇게 생각한다.

" 당연히 불이 꺼지거나 물이 증발하겠지."

하지만, 엘리멘탈은 달랐다.

어떻게 되느냐고? 불과 물이 만날 때,

(손을 잡을 때.)둘은 행복해진다.

왜 그러냐고? 둘은 불가능하다는 생각을 버리고,

당당하게 자신들의 길로 갔다. 이처럼 불가능하다는 생각을 버리고 도전하는 것이 중요하다고 영화가 말하는 것 같았다.

이렇게 해보지도 않고 두려워하는 것 보다 할 수 있다는 믿음을 가지고 도전해 보라는 것이 이 영화의 중요한 포인트 아닐까?

이 영화에서 인상 깊었던 장면은 마지막에 둘이서 함께 손을 잡고 비행기에 올라타는 장면이었다.

12. 별사탕 마을이야기(전편)

 지도에도 없는 환상적인 나라 판타지에는 여러 마을이 있어요. 그 중 달콤이가 살고 있는 마을은 별사탕 마을이예요.

달콤이는 텔레비전을 보고 굳게 다짐했어요.

"나도 저 사탕처럼 모험을 하고 싶어!"

그러자 옆에 있던 달콤이의 친구인 새콤이와 달달이도 나섰어요.

"그럼 우리들 끼리 판타지나라 모험하지 않을래?"

달콤이는 그 의견에 찬성했어요. 친구들은 내일 6시 별별공원에 모여서 만나기로 했어요. 친구들은 내일 어떤 마을을 갈건지 의논했어요. 친구들은 솜사탕마을과 달고나마을을 가기로 했어요.

이튿날 아침 달콤이는 일찍 일어나 모험할 지도와 가방을 챙겼어요. 그리고 공원에서 친구들을 기다렸지요. 친구들이 나오자 길을 떠났어요.

첫번째는 솜사탕마을이었어요.

친구들은 솜사탕 숲을 다니며 여러 가지 맛의 솜사탕을 나무에서 따 먹었어요. 그때 숲 풀밭에서 무언가 꿈틀꿈틀 거렸어요. 친구들은 놀라서 들고 있던 솜사탕을 떨어뜨렸어요. 풀밭에서 어떤 솜사탕 하나가 나왔어요. 그 솜사탕은 무섭게 생겨서 친구들이 벌벌 떨고 있을 때 그 솜사탕이 물었어요.

"너희 달고나 마을로 갈 거니?"

친구들은 선뜻 대답하지 못했어요. 그 솜사탕이 헤코지를 할까봐 무서웠기 때문이에요.

그러자 그 솜사탕이 말했어요.

" 난 이 솜사탕 마을의 경찰관이야! 달고나 마을에 내 친구가 있어서 혹시 달고나 마을에 갈 거면 이 사람한테 편지를 전해 주겠니?"

그리고 경찰은 친구의 사진을 보여주었어요. 그러자 친구들이 달고나 마을로 간다고 말하고 경찰의 편지를 기꺼이 가져다 준다고 했어요.

그러자 경찰이 함박웃음을 지으며 친구의 사진을 주었어요.

앞으로 어떤 일이 펼쳐질까요?

13. 별사탕마을이야기(후편)

그렇게 솜사탕 마을을 떠나 달고나 마을로 갔어요. 친구들은 아쉽다며 1분이라도 더 있고 싶었지만 달고나 마을의 입구를 보고 입이 쩍 벌어져서는 금새 달고나 마을로 뛰었지요. 그런데 달고나 마을에 관광객이 많아 어수선했지요.

친구들은 길을 가다 어떤 달고나 한 조각이 넘어져 있는 것을 보고 뛰어가서 일으켜 세웠지요. 그러자 그 달고나가 자기는 '하뚜'라고 소개하고 고맙다는 인사 뒤 달고나 마을 지도를 건넸어요. 그리고 사라졌지요.

"아차! 우리 빨리 편지를 전하러 가자!"

"알겠어~"

친구들은 길을 떠나 여러 차례 경찰의 친구를 아는 지 물어봤지만 아는 사람이 없었어요.

어느덧 밤이 깊어지고 친구들은 사람들에게 잠을 청하려고 여러 집을 찾아 다녔어요. 하지만 거의 문을 열어주지 않았죠. 이게 마지막이라고 생각하며 절망을 느낀 그 순간 힘없는 목소리로

"오늘 하룻밤만 재워줄 수 있나요?"

라고 물었어요. 그러자 어느 달고나가 나왔지요.

그때 달달이가 말했어요

"혹시 솜사탕마을 경찰분과 친구세요?"

그러자 문을 열어 준 그 달고나가 놀라며 이렇게 말했습니다.

"어? 그걸 어떻게?"

새콤이가 말했습니다.

"이 편지 그 경찰분이 주신 거예요."

친구분이 말하였습니다.

"고맙다. 여긴 추우니 안으로 들어오렴."

그러자 친구들과 달콤이는 깜짝 놀랐습니다. 왜냐하면 하뚜가 있었기 때문입니다.

그 뒤로 모두 친하게 지냈답니다.

14. 2학기 임원선거

2학기 임원선거를 했다.

반장 후보로는 나, 윤채, 준이, 민기, 루미, 은빈이가 나왔다.

나의 공약은 많지만 한가지만 얘기하자면 이거였다.

"행복하고 재미있는 4학년 1반이 되도록 노력하겠습니다."

투표는 컴퓨터로 했다. 2차 투표를 해야 돼서 다시 투표를 했다. 딱히 변화는 없었다. 투표가 길어져서 조금 따분했다.

아쉽게도 난 떨어지고 루미가 반장이 되었다. 그리고 부반장 선거를 했는데 다시 나갔다. 반장선거 공약이랑 이 공약을 발표했다.

"반장을 도와 더 나은 학급 임원이 되겠습니다."

하지만, 이런 또 떨어졌다!

아쉬움과 슬픔을 감춘 채 친구들을 응원해준다.

이렇게 평범한 듯 평범하지 않은 4학년 1반의 2학기 임원선거가 마무리되었다.

내년을 기약하며..

15. 아파트에서 담배 멈춰 ! (1부)

여러분, 요즘 들어 아파트나 학교주변, 등·하굣길에 주변에서
담배를 피우셔서 늘 매캐한 연기 속에 사는 것 같았습니다.
담배 연기는 어른들도 불편하고 아이들도 싫어해요.
담배를 피우시지 않으시면 건강, 환경이 좋아지죠.
"평생 피우지 않아야 하나요?"
담배를 피우지 말라고 강요하는 건 아닙니다.
담패를 어쩔수 없이 피우셔야 한다면 담배를 피우는 곳에서
피우셨으면 좋겠습니다.
담배에 대한 에티켓을 지키면 나와 주민들이 행복하다는 사
실! 꼭 기억해 주세요!

16. 아파트에서 담배꽁초 멈춰! (2부)

1부에 더불어 담배꽁초를 아무데나 버리시지 않았으면 좋겠어요.

며칠 전, 텔레비전에서 강아지가 담배꽁초를 먹고 무지개다리를 건너는 걸 봤어요. 너무 안타까웠습니다.

그런데, 그게 아무 생각 없이 무심코 버린 담배꽁초 때문이라는 것에 이렇게 글을 씁니다.

제발 아무 생각 없이 담배꽁초를 버리지 말아주세요!

"제발 그렇게 해달라 멍!
내 친구들을 더 이상 잃고 싶지 않다 멍!"

넘어졌을 때,

핸드폰이 깨졌을 때,

17. 내가 예상한 미래도시

여러 가지 이유로 변화될 도시의 모습을 생각하며 그림을 그려 보았다. 공기오염을 막기 위해 나무와 풀 등을 심었다. 그리고, 건물 위에 정원을 가꾸고 건물에 꽃과 풀을 심고 바위에 꽃과 풀, 씨 등을 뿌리는 기계를 설치하였다.

많은 양의 식물이 필요해서 '식물회사'를 세우고, 더 좋은 식물을 연구하는 '식물연구회사'도 세웠다. 이런 것들을 건설하여 미래에는 더 나은 환경이 되도록 노력해야겠다.

제3화 김윤채 작가의 이야기

1. 바다로 풍덩

우다다다다~

친척과 강아지, 우리 가족이 바다에 왔어요!

오래 걸려서 몸이 찌뿌둥했지만! 바다로 도착하니 사이다처럼 속이 뻥 뚫린 것 같았습니다!

날씨가 더워서 재빨리 수영복으로 갈아 입었습니다.

영차 영차 !

그러고 나서 바다로 풍덩! 뛰어갔습니다.

바닷물에 들어가고 나니 화르르 불탔던 몸이 시원해졌습니다. 친척과 우리 가족은 아주 하하 호호 떠들고 어푸어푸 수영도 하며 아주 즐겁게 놀았어요. 조개도 1송이 넘게 잡았고 점심은 치킨과 떡볶이를 먹었습니다. (쩝쩝~)

슬슬 추워져서 먼저 펜션으로 후다닥 들어가서 친척 언니와 친척언니 남자친구와 쉬었습니다. 다 들어오고 고기와 밥을 냠냠 배부르게 잘 먹고 들어가서 재미있게 보드게임도 하고 아주 참 즐거웠습니다! 다음에 또 오고 싶어요!

2. 오션 월드는 재밌어!

 너무 더워서 우리 가족은 사촌 오빠와 오션 월드를 갔다.

먼저 자리를 잡은 뒤 파도풀로 갔다.

무서워서 노랑선 까지만 갔다.

슬라이드를 타려고 갔는데 막상 타려고 하니 무서웠다.

꺅!!.!!   어?   재밌넹?

그런데, 두번째는 더더더 무서웠다.

노란 뺑뺑이! 으갸갸,.!!

더 무섭고 재밌었다.

놀다 배고파서 국수와 치킨을 먹었다. 잠시 쉬고 실내도 가서 즐겁게 놀았다.   차 타고 밥먹으러 갈때는 저절로 잠들었다.

자고 일어나서 식당에서도 자고 식구들이 밥을 다 먹었을 때 그때 일어나 남은 걸 먹었다. 먹는 것 보다 자는 게 더 좋았 다보다.

음! 야미!

생각보다 맛있어서 정신없이 먹다 보니 하루가 끝났다.

3. 몬스터 패밀리

예빈이와 '몬스터 패밀리2'를 보러 갔다.
바삭바삭 팝콘과 음료수를 사고 어두운 영화관으로 들어가
영화를봤다. [내용은 스포 방지!]

'흑흑' 슬프면서도 '푸하하!' 웃겼다.
영화가 끝나서 화장실을 갔다가 카페에 계시는 엄마들한테
갔다. 선물로 쿠로미 담요를 사주셨다. 예빈이는 폼폼푸린 이
고요.
우린 너무 폴짝 뛸 정도로 너무 너무 너무 좋았다.
재미있는 영화도 보고 선물도 받으니까 너무 좋았다.

4. 빕스는 안 가기로 ㅎㅎ

 엄마 생신때 아빠가 집에 못 오신다고 하셔서 미리 자동차를 타고 빕스에 갔다.

시끌 벅쩍~

사람이 무지막지하게 많았지만, 겨우겨우 들어갔다.

기쁜 마음으로 음식을 먹으려 하는데 먹을 게 없었다.

그래서 뱅뱅 돌며 맨날 먹던 것만 먹었다.

그래도 간식이 맛있는 게 많았다.

초코 퐁듀, 와플, 아이스크림 츄릅~

간식은 맛있었지만 그래도 다시 오진 않기로 했다.

5. 두리 월드

 예빈이와 같이 두리 월드에 갔다.

신나는 놀이기구와 재미있게 놀 수 있는 것들이 많았다.

쌩씽! 썰매도 타고

헛둘 헛둘 ! 장애물 피하기,

귀신의 집, 볼풀장 등

재밌는 놀이 기구들이 많았다.

점프 점프~

배고파져서 라면을 배불리

먹고 구슬 아이스크림도

먹었다.

저녁까지 같이 먹고

재밌게 놀았다.

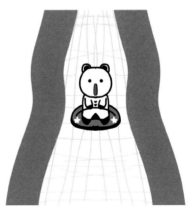

6. 수제 케이크

'아빠 없는 엄마 생신'이어서
내가 만든 토끼 케이크와 립스틱을 선물로 드렸다.
비록 아빠가 없어서 속상했지만,
케이크가 좀 이상했지만 내가 만든 거라 뿌듯했다.
엄마 아빠 사랑해요!

7. 노는 거 아니었나요??

예빈이랑 노는 줄 알고 갔는데 우리 엄마 생신 못 챙겨주셔서 엄마 생신 기념으로 냉면을 먹으러 간 거였다니!!
그 식당엔 돈가스도 있어서 예빈이와 나는 돈가스를 먹었다.

식사 후 카페를 갔는데 예빈이랑 게임도 하고 산책을 했다.
산책을 하다 보니 아기 고양이 2마리와 어른 고양이 2마리가 있었다. 노는 게 아니라 살짝 아쉬웠지만 고양이들과 조금이라도 놀 수 있어서 다행이었다.
고양이와 놀다보니 집에 가야해서 집으로 갔다.

다음엔 많이 놀고 싶다!

8. 귀여운 다육이

 별내 우리 작은 도서관에 갔어요!
그릇에다 굵은 흙, 고운 흙 ,색 모래, 고운 흙, 다육이 순으로
심었습니다.
'교감이'
나의 다육이에게 이름을 지어주었습니다.
왜냐하면 식물이 사람이랑 교감을 잘하기 때문입니다.
그리고 파츠로도 꾸며주었습니다.
다육이는 물을 많이 안주어도 됩니다.
입이 주글주글하거나 시든 느낌이 들 때,
만졌을 때 탱글하지 않으면 그때 주면 됩니다.

다육이가 너무 귀여웠습니당!!~
디육이라는 생물은 아주아주!
사랑스럽습니다!

9. 새 가방

내일이 개학인데 가방에 문제가 생겼다.
원래 가방은 실밥이 터져서 못 쓸 것 같아 새 가방을 사러
갔다.

"이쁜데 너무 크고"
"이쁜데 너무 비싸"

이쁜 게 많았다.
결정 끝에 스마일이 그려져 있는 검정 가방을 샀다.
정말 마음에 들고 빨리 친구들에게 보여주고 싶다.

10. 파주에 간 날

 파주에 있는 큰 고모네에 갔다.

가는 데 오래 걸려서 잠을 두 번이나 잤다.

큰고모네에 도착했을 때 때기와 짜노가 헐레벌떡 뛰어왔다.

큼지막한 거실 옆은 마당과 주방 옆은 안방 지하도 있는데 거긴 윤혜언니방(친척 언니)이다.

유튜브를 보다 띤띠띡!

왑!!! 윤혜 언니다!~~

할리갈리도 하고 유튜브도 봤다.

그러다 보니까 시간이 훌쩍 갔다.

저녁은 캠핑장처럼 되어 있는 곳에서 숯불삼겹살과 조개구이를 먹었다. 진짜 맛있었다.

배가 불렀다.

후식으로 아이스크림~

그럼 굿밤~~

11. 언니가 한 말

 잠잘 때 언니랑 많이 싸운다.
그래서 감기 때문에 싸우는데 언니가 갑자기

"너 나가서자!"
라고 해서
"싫거든?!"
이라고 했는데 언니가 갑자기
"엄마, 윤채가 나보고 나가서 자래"라고 했다.

거짓말이어서 속상했는데 언니가
"이 멍청아"라고 했다.
너무 속상했다.

12. 무관심씨 뒷이야기

무관심씨는 이제 손을 꺼내 도와줍니다.

"잠시만요!"

엘리베이터에서도

"으앙항 내 풍선 ㅠㅠ"

어려움에 처한 아이에게도

무관심씨는 도와줄 때마다

"감사합니다."

이래요.

이제 무관심씨는 이제 주변을 잘 챙기는 '관심씨'에요.

13. 내가 힘든 것

 힘든 것, 어려운 것을 참아내는 힘을 '인내심' 이라고 해요.
힘든 일인지 알지만 내가 잘 참고 이겨 낼 수 있는 거 3가지
는 무엇인가요?

1:보석,스킬자수:양이 많아서 이내심이필요하고손가락과 허리
가 너무 아프다.

2:강아지 훌련시키기:말을 않듯고 답답하다 가끔 무시도 한
다.

3:더운날학교오기:너무 더워서 학교 가기 싫다.

그래도 난 이걸 이겨낼 수 있는 힘이 있다.

보석, 스킬자수를 다하면 뿌듯하고

강아지 훈련은 다하면 뿌듯하고

더운 날 학교 오면

에어컨 바람 생생 쇠며 배우고 놀 수 있기 때문이다.

인간은 이겨낼 수 있는 힘이 있다.

14. 바디랭귀지

 학교에서 바디랭귀지를 배웠어요!

생각보다 우리 나라에서 좋은뜻이다른 나라에선 나쁜 욕이란

게 안믿긴다. 다른 나라에선 조심해야지!

다른 사람들이 불편할 수 있으니까말이다.

그리고 ✌는 그리스(?) 에선 욕설 손바닥x 손등이면 승리?

(다른 나라)

사소한 차이도 조심해야겠다.

그러면 다른 나라어 은 공부해야할까?

다른 나라 사람들은 우리에게 칭찬이란걸 알면 놀랄까?

사람과문화가 다르듯이 손가락 표어도다른것이 놀라웠다.

미리 네이버나구글 에처서 익힌다음 다녀야할것같다.

언재나 조심하자!.. 그리고

엉청 신기했다!

15. 생존수영

아쿠아 아레나에서 생존수영을 했어요!
처음엔 부끄러웠다.
하지만 지금은 후딱후딱! 척척 잘하지~
처음 할때 발차기를 하는데 너~무 힘들었다.
깊은 물에서는 음파 연습을 했다.
발이 안다서 힘들긴했다 (조금)
먼저 ! 장수하면서 음파를 하였고(음~파!)
그것도 옆으로 가면서! 수영 좋아하는 나는 쉽다쉬워~!
두번째는 다이빙? 같은거!
정면! 발앞으로!입수! (퐈샤!!)
히히 너무 재밌어~다시 입수~
계속하다보면 시간이 후딱후딱 !!
추우니까 양머리 해야지!

제4화 박다흰 작가의 이야기

1. 비오는 날

비가 주르륵
비가 온다

빗방울이 날아서
거미줄에 간다
빗방울이 날아서
아이 우산간다

2. 문화예술공연

 연주자분들이 많은 애니메이션 노래 등을 불러주셨지만 기억에 잘 남은 것은 "바다가 보이는 마을" 이다.
 다른 것들도 인상깊었지만 이 노래가 특히나 좋아하는 노래여서 가장 좋았던 것 같다.
다른 것들도 들을 수 있어서 좋았다.
피아노, 바이올린, 콘트라베이스, 오카리나 등도 아주 좋았다.
회전 목마도 아주 좋았다.
"저희에게 시간내어 들려주셔서 감사합니다. 너무 재미있었고 인상 깊었던 음악이었습니다. "
이렇게 인사드리고 싶다.

3. 괜찮아

넘어져도 괜찮아
실수해도 괜찮아
다음에 더 잘하면 돼.
괜찮아
넌 할 수 있어♡

4. 난 이럴 때 좋아 ♡

어느 날 친한 친구가 이렇게 물었습니다.

" 넌 뭐할 때 기분이 좋아? "

잠시 고민한 다음, 나는 이렇게 말했습니다.

"나는 친구와 놀 때가 좋아. 왜냐하면 친구들과 놀 때에는 우정도 쌓고 추억도 쌓을 수 있으니까. "

"난 친구들과 놀 때 기분이 좋아~."

5. 테라리움

 오늘은 도서관 행사를 하는 날!

 거긴 윤채, 예나, 나 등등이 있었다. 선생님 2분이 친절히 설명해 주신 뒤 '다육이'를 나눠주셨다.

 색모래로 층을 쌓고 다육이를 심고 선생님이 나누어 주신 파즈들로 장식을 했다. 그 후 발표를 했는데 나는 하지 않았지만 윤채와 예나는 했다.

 나는 발표는 하지 않고 감상을 했다.

6. 2학기 임원선거

드디어 2학기 임원 선거하는 날이 왔다.

내가 나가진 않았지만 나도 덩달아 마음이 두근거렸다.

나와 친한 친구들이 많이 나갔다. 민기와 준희도 등장할 예정이었다. 내가 아이디어를 준 루미도 나갔다.

먼저 반장부터 했지만 8표, 5표로 급격한 표 차이로 루미가 반장이 된 줄 알았다. 그러나, 2차 투표를 했어야 했는데 그걸 빠뜨려서 잠시 후 2차 투표를 진행했다. 반장이 된 줄 알았던 루미는 눈물이 터져버렸고 준희는 안절부절하며 어쩔 줄 몰랐다. 그래도 2차 투표 결과 루미가 반장이 되다. 부반장에서는 서연이와 준희가 되었다.

7. 추석 이야기

 오늘은 9월 28일 목요일이다.

친할머니네를 가기로 한 날이다. 오늘은 전을 부치는 날이라 아빠 와 나, 동생만 갔다. 마침 그날이 장날이라 전을 다 부치고 밥 먹고 구경을 갔다. 장이 길어서 구경을 다 하니 하루가 끝났다.

 다음 날엔 밭도 있는 2층 집에 갔다.

 어제 갔던 곳은 작은 집이고 오늘 가는 집은 별장같이 마당도 있었다. 친척들과 만나 수다도 떨고 축구도 하며 신나게 놀았다.

 저녁을 먹었다. 삼겹살, 갈비, 피자, 에이드를 먹었다.

또 놀고 잠이 들었다.

8. 나라의 문화

 오늘은 다문화 시간이다.

나라마다 다른 문화를 알아보자 식습관부터 말하자면 스페인
은 5끼를 먹는데 일본은 밥그릇을 들고 먹는 게 예의야 인도
는 손으로 밥을 먹는 풍습이 있어.

 그럼 다른 나라에 문화를 알아볼까?

스페인에서는 엄마와 아빠 성을 2개 쓴대. 또, 밥을 먹고 낮
잠을 잔대.

 미국에서는 보호자 없이 어린이들만 다니면 안 된다고 해.

 한국 햄버거가 작아서 "놀랐다"라고 말하는 미국인도 있어!

미국 햄버거가 그렇게 큰가 궁금하다.

9. 평소처럼

내가 슬퍼도 내가 외로워도
내가 화나도 내가 기뻐도
평소처럼 대해주세요.
그럼 내 감정들이 좋아할거야

그치만 내가 아니라도
지나가는 사람들
친구들에게도 늘
평소처럼 대해주세요.

10. 소나무

푸른 하늘 밑에 한 나무가 나를 반긴다.
살랑살랑 바람이 불어도 비가 와도
나뭇잎은 나무를 떠나지 않는다.
눈이 오는 겨울이 와도
더운 여름이 와도 마찬가지다.
그 나무의 이름은 소나무
소나무의 나뭇잎들은 소나무를 좋아한다.
나뭇잎들이 좋아하는 소나무를
나도 좋아한다.

11. 학교에서 발표하는 법

학교에서 잘 발표하는 법을 알아보자.

발표를 못 한다고 해서 안 하지 말고

틀려도 되니 도전부터 해 봐야 해

항상 틀릴까 봐 걱정하지 말고 해보자

그리고 틀려도 선생님에게 혼나지 않아

부끄러워서 발표를 해도

아주 작게 얘기하는 애까지 잘 설명해야 해

발표를 잘하는 법을 알아 보았어

학교에서 꼭 써먹어봐~

12. 학교

매일 아침 8시

내 아침 시계가 되어주는 너.

나의 소중한 친구들과 관계를 이어준 너.

매일 보니 귀찮고 막상 떨어지면 그리운 너.

날 부지런하게 만들어준 너는

나에게 고맙고 신기한 존재

"학교"

13. 새 친구

어느덧 3학년이 지나
4학년이 되네
내 가슴은 새 친구 만날 생각에 콩닥콩닥
이 친구에게 말 걸어 볼까
저 친구에게 말 걸어 볼까
고민하다 지쳐
내 자리로 터덜터덜
다시 용기 내어 친구에게

"안녕"

14. 여름밤 같은 봄 밤

"오늘의 밤은 참 신났다."

엄마 동생과 함께
스트레칭 하러 밖으로 나가는 것은
엄마와 동생에 데이트 같다.
이 달콤한 밤
난
이 달콤한 밤이 아주 좋다.

15. 낙엽

가을이 되자
낙엽이 떨어져요.
무지개처럼 알록달록한 낙엽
알록달록한 낙엽
시간이 지나면
낙엽이 서서히
나무에게서 떠나가
나무는 추운 겨울을 맞이한다.

16. 꽃

살랑살랑 예쁜 꽃잎
봄 바람이 찾아와
예쁜 꽃을 간지럼 피네

살랑살랑 봄 바람은
솔솔 집으로 들어오고
예쁜 꽃잎은 활짝 피네

17. 여름

여름이 좋다.
시원한 바다에서 헤엄치고 놀 수 있으니
뜨거운 햇살 아래 모래놀이 할 수 있으니
시원하게 여름을 보낼 수 있으니

여름이 좋다.
여름방학에 친구들과 재미나게 놀 수 있으니
가족들과 여행가서 재미나게 놀 수 있으니

18. 날씨의 아이

 오늘은 영화를 보았다.

 도서관에서 하는 작은 행사 프로그램이었다.

 나는 먼저 가서 놀고 있었다.

사람들이 오자 영화를 보기 시작했다.

아주 재미있게 본 영화였는데 사람마다 다르지만 난 아주 재

밌었는데 다른 사람이 영화가 재미없다고 해서 조금 불쾌했

다. 그리고 이 영화를 만든 작가는 "너의 이름은"이라는 작

품을 만들었던 작가이다.

아주 인상 깊어서 추천하고 싶은 영화다.

제5화 박시우 작가의 이야기

1. 수영장 가는 길은

 나는 항상 영어학원이 끝나고 수영장에 간다.
수영장에 갈 땐 용암천 산책로를 따라 가곤 한다. 수영장에
가는 건 꽤 재미있고 설렌다. 왜냐하면 용암천에 들어가서 첨
벙거리면서 놀다 보면 시원하고 마치 물이 나를 간지럽히는
것 같아서 기분이 좋기 때문이다.
하지만 가끔 돌이 미끄러워서 넘어질 뻔한 적이 있다. 그럴
때에는 정말 아찔하고 두근두근 거렸다.
 언제는 용암천에서 놀다가 휴대폰을 빠트린 적이 있다. 휴대
폰을 빠트려서 휴대폰이 망가졌을까봐 두려웠다. 다행히 휴대
폰이 망가지지는 않았지만 전화가 조금 느려져서 속상했다.
 앞으로는 휴대폰을 가방 안에 넣고 건너야겠다. 그래도 나는
수영장에 가는 게 좋은 것 같다.

2. 나의 추석이야기

 오늘은 추석이어서 일찍 일어났다.

너무 피곤했지만 오랜만에 가족들을 만나야 했기 때문에 억지로 일어났다. 빨리 옷을 입고 씻고 할머니댁에 갈 준비를 하고 엄마, 아빠와 함께 차를 탔다.

 차 안은 조금 지루했다. 계속 가다 보니 조금 졸려서 잠을 잤다. 시간이 지나서 친할머니댁에 도착했다. 나는 오랜만에 가족들을 봐서 좋았다. 위층에 있는 강아지들과 아기고양이 한 마리를 보러 올라갔다. 강아지들은 애교가 많았지만 고양이는 사람을 무서워했다.

친할머니댁에서 맛있는 밥을 먹고 차를 타고 외할머니댁에 갔다. 외할머니댁에서도 맛있는 음식을 많이 먹었다. 외할머니댁에서 오래 있다 보니 집에 갈 시간이 되었다. 아쉽지만 집에 돌아갔다.

3. 소라 안 바다

 어릴 적에 바다에 간 적이 있다.

그때 나는 엄청 예쁜 신비로운 느낌의 소라들을 주워왔다. 그 소라를 귀에 대서 들어보면 '쏴아아아 쏴아아아' 하는 소리가 들린다. 아무래도 소라 안에는 바다가 있는 것 같다. 소라 안에 있는 바다는 색깔이 하늘색 빛으로 그라데이션 되었을 것 같다.

 바다는 차갑고 시원하지만 계절은 여름이어서 더울 것 같다. 바다를 보면 설레고 들어가서 놀고 싶은 마음이 든다.

 소라 안에서 들려오는 바다소리는 마치 자연에 노래 같았다. 파도가 부드럽게 밀려오는 소리가 아름다운 선율을 누군가가 연주하는 것 같았다.

 그런데 자세히 들어보니 바다소리가 바람소리 같기도 하다.

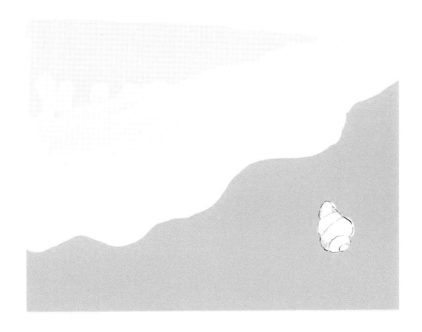

4. 하루의 하루

 우리 집에는 강아지 한 마리가 있다.

강아지의 이름은 하루이다.

하루가 하루 종일 뭘 하는지 관찰해 볼 것이다.

 하루는 아침에 일어나서 엄마가 준 사료를 먹는다. 그리고 아침에 나한테 애교를 부린다. 가족들이 다 나가면 현관 쪽에서 우리를 기다리고 있는데 너무 안쓰럽다. 집에 돌아오면 하루가 나를 반겨준다.

 하루는 정말 정말 사랑스럽고 귀여운 것 같다. 그래서 학원이 끝나면 산책을 시켜 준다. 저녁에는 항상 하루에게 맛있는 간식을 준다.

 하지만 하루는 엄마만 좋아하는 것 같아서 조금 속상하다.

 앞으로 하루에게 더 잘해야겠다.

5. 동남아 여행

 오늘 아침에 엄마와 하루랑 함께 산책을 나갔다.
나가보니 날씨가 너무 덥고, 뜨거웠다. 그래서 근처 용암천 물에서 놀았다. 물이 차가웠다. 물에서 첨벙첨벙 걸을 때 마다 위에 큰 다리가 있어서 소리가 울렸다. 우리가 있는 곳이 그늘이어서 꽤 시원했다.

 산책하는 길에는 항상 빙수를 먹던 곳에서 망고치즈 빙수를 시켰다. 위에 올려져 있는 네모모양 치즈가 마치 작은 병아리 같아서 너무 귀여웠다. 빙수를 다 먹고 집에 가려고 나왔는데 갑자기 비가 쏟아졌다.

 그런데 갑자기 또 비가 그치고 날씨가 더워졌다. 마치 동남아 같았다. 계속 비가 내려서 용암천 다리 밑 그늘에서 쉬었다. 바람이 솔솔 들어오는 게 왠지 시원했다. 그래서 또 물에 들어가서 놀았다.

 오늘은 정말 동남아 여행 같았다.

6. 나비박사 석주명

나는 '나비박사 석주명'이라는 책을 읽었다.

석주명은 노력이 정말 대단한 사람이었다. 석주명은 1908년에 평양에서 태어났다. 어릴 적에 석주명은 동물을 좋아해서 집에서 많은 동물들을 길렀다. 석주명은 커서 송도고등 보통학교에 다녔다. 석주명은 공부를 열심히 해서 학교를 졸업하고 곤충에 대해 연구했다. 나는 석주명이 곤충에 대한 연구를 열심히 하는 게 정말 멋지다고 생각했다.

석주명은 나비박사가 되기 전에 어느 한 학교에서 나비에 대해 연구했다. 그리고 300마리가 넘는 나비들을 잡았다고 한다. 석주명은 나비들에게 멋진 이름들도 지어줬다고 한다. 석주명에 노력은 너무나도 대단하다. 나도 석주명처럼 꿈을 이루기 위해 열심히 노력해야겠다.

7. 가브리엘 샤넬

나는 세계적으로 유명한 디자이너 가브리엘 샤넬에 대한 책을 읽었다. 샤넬은 어릴 적에 쥘리아 고모집에서 지냈다. 샤넬은 다락방에 들어가서 잡지와 소설책을 보는 것을 좋아했다. 그리고 샤넬은 잡지에서 예쁜 옷을 감상하기도 했다고 한다. 샤넬은 18살이 된 후 '상트 마리'라는 바느질 용품 가게에서 일했다.

그 후 샤넬은 자기 옷을 직접 디자인 해지 만들어 입었다. 하지만 아직 정식 디자이너가 되지 못했다. 샤넬은 예쁘게 보이는 것보다 편안한 것이 더 중요하다고 생각했다. 당시 여자들이 입던 무겁고 거추장스러운 옷 말고 활동하기 편리한 옷을 만들었다. 그렇게 샤넬은 편리한 옷을 만들어내서 큰 인기를 끌었다.

샤넬의 옷은 정말 대단하고 멋진 디자인이라고 생각한다.

8. 식당에 달팽이가?

　나는 수영학원을 끝내고 가족들과 근처에 맛있는 갈비를 먹으러 갔다. 너무 배가 고파서 빨리 맛있는 음식을 먹었다. 그런데 상추를 더 가지러 간 엄마가 달팽이가 있다고 말했다. 나는 빨리 엄마가 보고 있는 상추를 봤다.

　진짜로 상추에는 내 손톱만한 아주 작은 귀여운 달팽이가 있었다. 나는 너무 신기했다. 나는 얼른 상추를 살짝 떼어서 내 식탁으로 가져왔다. 상추에서 꼬물꼬물 거리며 열심히 움직이는 달팽이가 너무 귀여웠다.

　달팽이는 진짜 열심히 상추를 먹었다.

9. 워터파크

 오늘은 정말 설레는 날이다. 나는 오늘만 기다린 것 같다. 너무 설레어서 일찍 일어났다. 상쾌한 아침이었다. 하지만 조금 졸려서 그냥 다시 잠을 잤다. 30분 동안 자다가 일어나서 준비하고 가족들과 차를 탔다. 시간이 지나서 워터파크에 도착했다. 너무 두근두근 거렸다.

일단 먼저 파도풀에 들어갔다. 엄마는 파도풀에 들어가니까 살짝 무서워했다. 그리고 엄청난 파도가 밀려올 때마다 나는 너무 재미있었다. 계속 파도풀을 타다가 점심시간이 되어서 근처 식당에서 가족들과 밥을 먹었다. 나는 돈까스를 먹었는데 정말 맛있고 바삭했다.

 점심을 먹고 나서 나는 워터파크 안에 들어가서 깊은 파도풀에서 놀았다. 정말로 행복했다.

10. 슬라이드

 여름방학에 가족들과 물놀이장으로 놀러 갔다. 도착해서 나는 물놀이장으로 빨리 들어가고 싶어서 엄마한테 허락 받고 빨리 들어갔는데 물이 너무 차가워서 놀랐다.

물이 차가워서 계속 벽만 잡고 다녔다. 시간이 지나자 점점 물이 차갑지 않아져서 제일 깊은 쪽에 있는 슬라이드를 타러 갔다. 슬라이드를 탔는데 너무 재미있었다. 그래서 하루 종일 슬라이드를 신나게 탔다. 너무나도 재미있고 신이 나서 슬라이드를 100번은 더 넘게 탄 것 같다.

슬라이드를 재밌게 타고 가족들과 맛있는 라면과 흰밥, 소시지, 볶음김치 등을 먹었다.

 정말 너무너무 행복한 하루였다.

11. 비가 오는 날

 나는 비가 오는 날이 싫을 때도 있고 좋을 때로 있는 것 같다. 비가 오면 밖에 나가서 못 놀아서 싫고 비가 오면 귀여운 달팽이를 볼 수 있어서 좋다. 그리고 또 빗소리를 듣고 있으면 뭔가 마음이 편안해지는 것 같다. 그래서 나는 비가 오는 날이 좋을 때도 있고 싫을 때도 있다.

 하지만 비가 오면 내가 좋아하는 달팽이를 볼 수 있어서 신난다. 꼬물꼬물, 느릿느릿 열심히 움직이는 달팽이는 정말 너무나도 귀엽다.

 내가 어렸을 적에 엄마와 함께 집을 가다가 엄청나게 큰 민달팽이를 본 적 있다. 또 예전에 집에서 작은 달팽이를 키웠었다. 작은 달팽이가 점점 커지는 모습을 보면서 뿌듯해 했다. 하지만 그 달팽이는 얼마 못가서 죽게 됐다. 나는 그게 정말 슬펐었다.

12. 생존수영

 학교에서 생존수영을 가게 됐다.

생존수영을 하러 가는 수영장이 내가 월, 수, 금 마다 다니는 수영장이어서 설레고 신기했다.

옷 갈아입는 탈의실에서 얼른 옷을 갈아입고 나가려는데 사람들이 정말 너무나도 많아서 탈의실이 복잡했다. 그래도 학교에서 생존수영을 가서 이번주 월, 수, 금요일에는 수영장을 안 가서 좋았다.

 생존수영은 발차기할 때는 엄청나게 힘든데, 뒤로 동그라미 자세로 물속에 다이빙할 때는 정말 재미있다. 생존수영 마지막 날에는 정신없었지만 그래도 꽤 재미있는 것들을 많이 해서 다음에 또 생존수영을 하고 싶다.

 역시 생각대로 생존수영은 정말 재미있었다.

13. 네잎클로버

네잎클로버는 행운을 가져다준다.

그래서 나는 어릴 적에 네잎클로버를 가지고 싶었다.

네잎클로버를 찾으면 정말로 행운이 찾아온다고 믿었으니까.

솔직히 네잎클로버는 생김새가 다른 풀들에 비해 너무 귀여웠다. 그래서 나는 종이로도 네잎클로버를 접었다. 하지만 종이로 네잎클로버를 접는 건 너무 어려운 일이었다.

네잎클로버를 찾는 일도 너무 어려운 일이었다.

어느 날 친구들이랑 놀다가 친구가 네잎 클로버를 찾았다. 친구한테 네잎 클로버를 받았다. 그 네잎 클로버는 작고 연두색 빛을 띄고 있었다. 그래서 내 마음속에 연두색 빛 평화로움이 생긴 것 같았다.

14. 오렌지

우리 집 냉장고에는 오렌지가 많이 있다.

나는 오렌지를 엄청 좋아한다. 오렌지는 새콤달콤하고 시원해서 저녁에 먹는 오렌지가 제일 맛있다. 그래서 나는 과일 중에서 오렌지가 제일 좋다. 하지만 엄마는 이렇게 말씀하신다.

"숙제를 다 끝내면 줄게."

나는 그럴 때면 입을 삐쭉 내밀고는 귀찮지만 얼른 숙제를 하러간다. 숙제를 끝내서 나는 시원하고 달달한 오렌지를 맛있게 먹는다. 원래 저녁밥을 다 먹고 나면 엄마가 항상 달달하고 시원한 내가 좋아하는 맛있는 오렌지를 준다. 그래서 저녁밥을 먹고 후식으로 맛있는 오렌지를 먹는다.

하지만 오렌지가 안 나는 계절에는 오렌지 말고 다른 과일을 먹는다. 그럴 때면 나는 오렌지의 맛이 그립다.

15. 애견 카페

아빠, 엄마, 하루와 함께 애견 카페에 갔다.

애견 카페에는 귀여운 강아지들이 많았다. 사랑스러운 하얀 비숑,예쁜 갈색 푸들, 귀여운 검정색 말티푸 이렇게 너무 사랑스럽고, 예쁘고 귀여운 강아지들이 많이 있었다.

카페에 위층으로 갈 수 있는 계단이 있는데 위층으로 올라가 보니, 풍경이 너무 예뻤다. 그래서 아빠가 멋진 사진을 찍어줬다.

사진을 많이 찍고 엄마가 망고 빙수를 주문했다. 나는 너무 행복하고 좋았다.

잠시 후, 내가 기다리던 망고 빙수가 왔다. 나는 저절로 침이 고였다. 나는 망고 빙수에 있는 달달한 아이스크림을 먹었다. 아이스크림은 시원하고 내가 원하던 맛이었다.

제6화 정은빈 작가의 이야기

1. 누리호 3차 발사!

 누리호 발사가 3차라는 것을 오늘 알게 되었습니다.
선생님께서 다행히 고비를 넘기고 고도 300km까지 갔다고
말씀을 해주셨습니다.
 발사 13분 후 목표까지 간 것이 멋졌고, 누리호가 성공하여
기뻤습니다.
 뉴스를 봤을 때 불과 연기가 많이 나서 좀 놀랐지만 그래도
발사 미션을 성공해서 기분이 참 좋았습니다.
 다음에 시도할 때도 성공하면 좋겠습니다.

2. 딸 바보

우리 엄마는 딸 바보입니다.

내가 공부 중일 때 몰래 들어와서 "딸 뭐해?"라고 하고, 내가 게임을 할 땐 "딸 우리 뭐 먹을까?"라며 내가 무엇을 할 때마다 이렇게 말씀하십니다.

"딸! 우리○○하자. 놀아줘, 같이 잘래?"

이러면 난 얼버무려 말합니다.

가끔은 귀찮지만, 또 가끔은 귀엽습니다. 많이 못 봐서 더 보고 싶기도 합니다. 사랑하지만 엄마의 일 때문에, 난 엄마를 아침, 밤 밖에 보지 못합니다. 엄마가 일을 나가지 않았으면 좋을 것 같다는 생각도 종종 합니다. 엄마가 쉬는 날이 언제냐고 매번 묻습니다. 그래도 엄마가 쉬는 날은 재밌게 보내니 이젠 괜찮습니다.

"엄마, 사랑하고 고마워!"

3. 해녀가 된 일?

바닷가에 파도가 나를 덮치려고 해서 잠수를 하고 있었는데 돌을 잡아 궁금하여 보니 살아있는 조개였습니다.

나는 아빠, 엄마에게 자랑하려고 달려가는데…. 넘어져서 돌을 잡고 일어나니 또 산 조개였습니다.

엄마, 아빠에게 가니 이렇게 말씀하셨습니다.

"조개를 잡아 수제비를 먹자! "

그래서, 오빠와 함께 조개를 잡으러 갔습니다.

오빠와 조개를 더 많이 잡는 내기를 하였습니다.

난 바닷속에서 물구나무를 서 조개를 잡았습니다.

근데 할머니의 눈에 그게 해녀같이 보였다고 하였다. 내가 많이 잡아서 오빠가 다음 날 나에게 떡볶이를 사준다고 하였습니다. 오빠와 내가 잡은 산 조개들은 물병 안을 다 채웠습니다. 그리고 잡은 조개로 수제비를 만들어 먹었더니 참 맛있었습니다. 나중에는 더! 많이 잡을 것입니다.

4. 난 이럴 때 기분이 좋아!

어느 날 친한 친구가 나에게 물었어요.
"넌 무엇을 할 때 기분이 좋아?"
난 잠시 고민을 하다 답을 했습니다.

"난 검도를 할 때가 좋아. 왜냐면 검도는 넘치고, 검을 잡으면 스트레스도 베어지는 느낌이거든! "

"땀을 많이 흘린 후 샤워를 하면 운동하면서 뻐근했던 것들이 부드러워지는 것 같고, 재미있는 게임도 하기 때문이야! "
라고 친한 친구에게 답을 하였습니다.

5. 윤지와 논 날

오늘은 윤지와 영화도 보고 마라탕도 먹었습니다. 난 매운 것을 잘 못 먹어서 1단계를 먹고, 윤지는 1.5단계와 꿔바로우도 먹었습니다. 그 후 탕후루도 먹었는데 감싸고 있는 비닐이 찹쌀이어서 먹을 수 있다는 것이 신기하였습니다.

그 뒤 빵꾸똥꾸 문구점에 가서 세트 볼펜과 키링도 맞추고, 인생네컷에 가서 사진도 찍었습니다. 다이소에서 필요한 것들도 샀습니다.

집에 가면서 언제 놀지, 얼마를 모은 후 놀지 이야기를 하면서 집에 도착하였습니다. 목표 금액은10만원. 10만원을 모으면 다시 만나기로 하며 헤어졌습니다.

많이 아쉬웠지만 그날을 기억하며, 안녕. 윤지야!

6. 코딩 1kg 스모 대회

 난 코딩 스모 대회에 참가하기
로 하였습니다. 많은 분해와 프로그램 조립을 하여 완성하였
습니다. 잘되지 않으면 머리를 쥐어뜯으면서까지 열심히 했습
니다. 하지만 경기를 하러 가던 중 어떤 아이가 날 실수로 밀
어 로봇이 망가졌습니다. 다행히 대타로 보조 로봇이 있어 2
번을 이겼습니다. 난 옆에 앉아 로봇을 조립하였다. 엄마 아
빠도 응원해주셨습니다.

 난 최대한 로봇을 살렸습니다. 고친 후 바로 시합에 나갔습
니다. 너무 갑작스런 상황에 긴장한 나머지 이상한 프로그램
을 실행하여 져버렸지만 다시 마음을 잡고 하니 또 2번이나
이겼습니다.

 난 기뻤습니다. 승리의 세레모니를 하고 다시 시합에 집중하
였습니다. 팀원이 나가야 하는데 갑자기 멍때리고 있어서 화
가 나지만 참고 다시 시합에 집중하여 '6등'을 하였습니다.
총 30팀인데 첫 대회에 '6등'이라니 뿌듯하였습니다!

7. 장마

비가 주룩주룩 천둥이 쿵쾅쿵쾅 하늘이 꼭 싸우는 것만 같습니다. 또 다시 비가 오며 천둥이 치며

"너무 시끄럽다! 그만해! "

그러다, 잠잠해졌습니다.

"나 참, 내가 뭐라고 할 땐 더 심하게 하더니….."

창문이 열려있어 잠그려고 하니 침대가 심하게 내린 비에 젖었다는 걸 알게 되었습니다. 많이 불편했습니다.

다음부턴 창문을 잘 잠가야겠습니다.

"침대야 빨리 말라라…! "

8. 무관심씨의 이어질 내용 상상하기!!

  오늘은 무관심씨라는 영상을 앞부분만 본 후 뒷내용을 상상하였습니다.

  난 이렇게 상상했습니다.

  주머니에서 뺀 무관심씨는 엘레베이터를 잡아주고, 먼저 "안녕하세요"라며 인사를 하며 옆집과 친해졌습니다. 아이의 풍선도 잡아주며 "아저씨 감사합니다."라는 소리도 들으며 기분이 좋아진 무관심씨는 관심씨로 개명을 하였습니다. 그리고 어느 때와 같이 도와주다 다리를 다친 관심씨는 예전의 관심씨처럼 주머니에 손을 넣고 안 빼는 사람을 발견했습니다. 그 사람의 손을 잡고 길을 건너가다 오토바이가 달려오자 그 사람은 주머니에서 손을 빼며 "안돼!"를 외쳤습니다.

  함께 뿌듯해하며 자신의 기쁨을 나누었을 것 같다고 생각하였습니다.

9. 내 꿈

저는 꿈이 정말 많습니다.

간호사, 의사, 경찰관, 요리사, 검도 사범, 예술가, 유튜버, 선생님, 등….

하지만 요즘 또 다른 꿈이 저의 꿈의 구슬에 찾아왔습니다. 새로운 학원에 다니면서요.

힘들기도 하지만 '로봇 개발자'라는 꿈!

꿈에 다가가기까지 한 걸음, 한 걸음씩 걸어가며 성장할 것입니다. 가끔은 피곤하고 그만두고 싶을 수도 있지만 포기하지 않을 것입니다. 그러니 열심히 하여 사람들에게 도움을 주는 사람이 되는 것 그 꿈이 이루어 지면 좋겠습니다.

10. 지진, 화재 대피 훈련을 마치고.

 학교에서 지진, 화재 대피 훈련을 하였습니다. 사이렌이 울려도 훈련이라는 방송이 나오고 약 5분 후, 사이렌이 울리자 다들 책상 아래로 들어갔습니다.

 사이렌이 멈춘 후 책을 들고 운동장으로 나가니 선생님들과, 학생들이 참 많았습니다. 소방관님의 설명도 듣고 제가 대표로 나가 실제로 소화기를 들고 체험을 하였습니다. 참 재미있었습니다.

 교실로 들어가면서 소방차 안의 구조도 보며 참 좋은 경험을 하였습니다.

11. 나의 추석 이야기(궁..궁..추석 화장실 대소동!!!)

 추석에 있던 이야기입니다. 점심을 먹고, 추석이라 한복을 입고, 경복궁을 갔습니다. 가보니 4시 30분이었습니다. 들어가려고 하자 사람들이 나오며 "끝났다는데?"이랬습니다. 나와 엄마는 야간개장을 하는 줄 알았지만 안 한다고 하여 나와 돌담길을 따라 그냥 걸었습니다. 똥냄새가 나는 은행 열매도 밟고, 미니 십원빵도 먹었습니다. 그리고 사진도 찍으며 차를 타고 가다 창경궁은 야간개장한다고 하여 창경궁에 가서 설명도 들어보았습니다. 각 궁을 대표하는 궁을 작은 모양으로 지어 만질 수 있다는 것을 듣고 만져보니 오톨도톨하여 신기하였습니다. 구경을 하다 화장실에 가고 싶어 화장실을 찾는데, 220m를 가야해서 달리니 약 500m인 것 같은 느낌이 났지만 어찌저찌 화장실에 도착하였지만 사람들이 많아 들어갈 수가 없었습니다. 궁 입구에도 화장실이 있길 바라며 집에 갔습니다.

12. 약속

약속은 중요합니다.

약속을 한 후에 지키지 않으면 약속을 받은 사람은 기분이 나빠질 수도 있습니다.

오빠가 아파 엄마가 고기반찬을 오빠에게 다 주고 내일 아침에 고기반찬을 해 준다고 했는데 약속을 어기고 고기반찬을 안 해주었습니다. 난 기대하며 잤는데. 그래서 입맛이 없고 슬펐습니다. 엄마와 아빠가 오빠만 챙기는 것 같아서….

난 그래도 아픈 오빠를 챙겨주고 싶은데 들어가면 "나가 시끄러워. 나가! "라며 날 싫어합니다.

난 고기반찬을 못 먹은 것도 슬펐지만 오빠를 걱정했는데 오빠는 내 맘도 모르면서 짜증만 낸 것이 더 슬펐습니다. 그리고 친구가 같이 놀자고 했는데, 다른 친구랑 논 것도 약속을 어긴 것이니 서로의 기분이 나빠지지 않게 우리 모두 약속을 잘 지킵시다.

13. 다른 나라의 바디랭귀지

　다른 나라와 우리 나라의 바디랭귀지에 대해 배웠습니다. 우리 나라에서는 좋은 뜻인데 다른 나라는 욕설 또는 나쁜 말이라는 것도 배웠습니다. 어떤 다른 나라에 대해 이야기하는 영상에서는 손바닥이 아래로 가면 사람을 부르는 것이고, 손바닥이 위로 가면 강아지를 부르는 것이라고 하였습니다.

　우리나라에서는 오라는 라는 뜻이지만 다른 나라에서는 가라는 뜻이기도 합니다. 그러니 다른 나라에 가게 된다면 이런 손동작을 조심해야겠습니다.

14. 나의 기분

나의 기분은 오락가락
가끔은 기쁘고,
또 가끔은 슬프다.
너무 오락가락이다.

나의 기분은 오락가락
가끔은 화나고,
또 가끔은 부끄럽다.
나의 기분은 오락가락이다.

나의 기분은 고정!
나의 기분은 가족과 있어 기쁘다
나의 기분은 너무 행복하다.

15. 우리는 삼총사!!

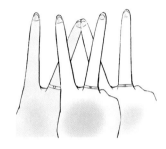

저는 윤지와 민아랑 삼총사입니다. 저는 매번 주말에 윤지와 민아랑 놀이터에서 놀기도 하고, 같이 놀이동산도 가기도 합니다. 집에서 놀기도 하고, 영화관도 가며, 카페도 가며 매번 신나게 놀고서 헤어질 때면 '시간이 왜 이렇게 빨리 갈까?' 라고 생각합니다. 특히 너무 재미있게 놀았을 때는 30분 밖에 안 논 것 같은데 벌써 집에 갈 시간입니다.

집에 가면 엄마는 모은 돈이 사라진 것을 보며

"재미있게 놀았네. 재미있게 놀았어?"

라며 물어보시면 있었던 일을 들려드립니다. 그럴 때 난 '벌써 끝났네…'라고 생각합니다.

우리 삼총사는 화나거나 우울할 때 털어놓고 위로해주고, 쿵짝쿵짝 잘 맞습니다.

저는 이렇게 든든한 친구가 있어 참 좋습니다.

16. 내가 예상한 미래도시

　미래의 도시에는 다리 위에도 집과 건물이 있다. 그 이유는 혹시 빙하가 더 녹아 수심이 깊어져서 높은 다리 위에서 살아갈 수도 있기 때문이다. 또, 로봇이 집사처럼 집안일을 하고 운전도 할 것 같다. 기술이 발달되어 한국에서 미국으로 가는 열차도 생길 것 같다.

< 작가의 말 >

강수현 - 글쓰기 너무 힘들었지만 재미있고 실감났다.

　　　　　　팔이 좀 아팠지만 친구들과 열심히 써서 좋았다.

김리연 - 글 쓸 때 힘들었지만 내가 조금 더 성장하는 것

　　　　　　같아 뿌듯했다. 완성했을 때 왠지 모를 기대감과

　　　　　　뿌듯함이 있어 이런 경험을 또 한 번 하면 좋겠다.

김윤채 - 글을 쓸 때 손도 아프고 힘들었지만 참고 완성하

　　　　　　니 정말 뿌듯했다. 내 이름과 내 글이 실린 책이

　　　　　　사고 팔린다니까 실감 안나고 가슴이 콩닥거린다.

박다흰 - 글을 쓸 땐 손이 좀 아팠지만 내 이름으로 책이

　　　　　　나온다니 떨린다. 친구들과 추억 쌓아서 좋다.

박시우 - 글을 쓸 땐 손이 많이 아프긴 했다. 그래도 책을

　　　　　　만든다는 생각에 기분이 좋았다. 앞으로도 글쓰기

　　　　　　를 좀 더 열심히 해봐야겠다.

정은빈 - 책을 쓴다고 할 땐 쉬울 것 같았지만 글을 쓰다보

　　　　　　니 생각도 안나고 손도 아팠다. 내 이름이 들어간

　　　　　　책 만들기! 기분이 좋아서 참고 만들어 뿌듯하다.